Au moment de l'**heure des histoires**, tandis que l'un regarde
les images et l'autre lit le texte, une relation s'enrichit,
une personnalité se construit, naturellement, durablement.

Pourquoi ? Parce que la lecture partagée est une expérience
irremplaçable, un vrai point de rencontre. Parce qu'elle développe
chez nos enfants la capacité à être attentif, à écouter, à regarder,
à s'exprimer. Elle élargit leur horizon et accroît leur chance
de devenir de bons lecteurs.

Quand ? Tous les jours, le soir, avant de s'endormir, mais aussi
à l'heure de la sieste, pendant les voyages, trajets, attentes...
La lecture partagée permet de retrouver calme et bonne humeur.

Où ? Là où l'on se sent bien, confortablement installé, écrans
éteints... Dans un espace affectif de confiance et en s'assurant,
bien sûr, que l'enfant voit parfaitement les illustrations.

Comment ? Avec enthousiasme, sans réticence à lire
« encore une fois » un livre favori, en suscitant l'attention
de l'enfant par le respect du rythme, des temps forts,
de l'intonation.

Traduction de Pascal Olivier

ISBN : 978-2-07-063219-0
Titre original : *I Want my Potty !*
Publié par Andersen Press Ltd, Londres
© Tony Ross, 1986, pour le texte et les illustrations
© Éditions du Seuil, pour la traduction française
© Gallimard Jeunesse, 2010 pour la présente édition
Numéro d'édition : 173728
Loi n° 49-956 du 16 juillet 1949
sur les publications destinées à la jeunesse
Dépôt légal : avril 2010
Imprimé en France par I.M.E.

Je veux mon p'tipot !

Tony Ross

GALLIMARD JEUNESSE

« Ah ! ces sales couches ! »
disait la princesse.

« Une seule solution :
il faut aller sur ton p'tipot »,
répondait la reine.

Au début, la princesse trouvait
que c'était abominable.

« Il faut aller sur ton p'tipot ! »
répétait la reine.

Et la princesse dut s'y habituer.

Parfois elle se ruait sur son p'tipot
tellement elle en avait besoin.

Parfois la princesse
jouait des tours à son p'tipot.

Parfois le p'tipot
jouait des tours à la princesse.

Le p'tipot, bientôt,
ce fut très rigolo.

Et la princesse l'adora.

Tous disaient que la princesse
était très intelligente
et serait une grande reine.

« Il faut aller sur ton p'tipot »,
répondait la princesse.

Un jour, la princesse jouait
sur le toit de son château
quand…

... elle se mit à hurler :
« JE VEUX MON P'TIPOT ! »

« Elle veut son p'tipot ! »
hurla la gouvernante.

« Elle veut son p'tipot ! »
hurla le roi.

« Elle veut son p'tipot ! »
hurla le cuisinier.

« Elle veut son p'tipot ! »
hurla le jardinier.

« Elle veut son p'tipot ! »
hurla le général.

« Je sais où il est, son p'tipot ! »
hurla l'amiral.

À toute allure on apporta
le p'tipot à la princesse…

… juste…

… un tout p'tipot trop tard.

L'auteur-illustrateur

Tony Ross est né à Londres en 1938 : fils de prestidigitateur, petit-fils de musicien, arrière-petit-fils d'un des illustrateurs de Charles Dickens, et descendant du grand clan des Ross, de l'ancienne contrée viking des Highlands écossais.

Il rêvait de devenir pilote d'avion et devient illustrateur après son échec à l'examen d'entrée de l'École de l'Air : dessiner était la seule chose qu'il savait faire ! Il travaille dans la publicité puis enseigne à l'école des Beaux-Arts de Manchester.

Il commence par publier des dessins humoristiques dans la presse et ses premiers livres pour les enfants en 1973.

Il est aujourd'hui l'un des auteurs-illustrateurs britanniques les plus reconnus, avec plusieurs centaines de livres à son actif. Mais ce qu'il aime avant tout, c'est raconter des histoires aux enfants et les faire rire. Tony Ross croit au Père Noël, adore les contes de fées et les histoires de reines et de rois, surtout quand les princes et les princesses sont de sacrés garnements ! C'est un poète qui sait aussi bien jongler avec les mots qu'avec les couleurs.

Il aime aborder tous les sujets même les plus graves en faisant rire. Tony Ross vit en Angleterre, au bord de la mer. « Ma principale ambition, c'est de divertir. Souvent, je réécris à ma manière des histoires traditionnelles pour contribuer à les faire connaître aux enfants d'aujourd'hui. Et, parfois, j'écris mes propres contes parce que je ne peux pas m'en empêcher. »

« Les illustrateurs doivent lire. Ils doivent être bons lecteurs. Je le dis sans cesse à mes élèves. »

Dans la même collection

n° 1 *Le vilain gredin*
par Jeanne Willis
et Tony Ross

n° 2 *La sorcière Camembert*
par Patrice Leo

n° 3 *L'oiseau qui ne savait
pas chanter*
par Satoshi Kitamura

n° 4 *La première fois
que je suis née*
par Vincent Cuvellier
et Charles Dutertre

n° 5 *Je veux ma maman!*
par Tony Ross

n° 6 *Petit Fantôme*
par Ramona Bădescu et
Chiaki Miyamoto

n° 7 *Petit dragon*
par Christoph Niemann

n° 8 *Une faim de crocodile*
par Pittau et Gervais

n° 9 *2 petites mains
et 2 petits pieds*
par Mem Fox
et Helen Oxenbury

n° 10 *La poule verte*
par Antonin Poirée
et David Drutinus

n° 11 *Quel vilain rhino !*
par Jeanne Willis
et Tony Ross

n° 12 *Peau noire peau blanche*
par Yves Bichet
et Mireille Vautier

n° 13 *Il y a un cauchemar
dans mon placard*
par Mercer Mayer

n° 14 *Clown*
par Quentin Blake

n° 16 *Au revoir Blaireau*
par Suzan Varley

n° 19 *La belle lisse poire
du prince de Motordu*
par Pef

n° 21 *La promesse*
par Jeanne Willis
et Tony Ross

n° 22 *Gruffalo*
par Julia Donaldson
et Axel Scheffler

n° 24 *Tu ne peux pas
m'attraper!*
par Michael Foreman

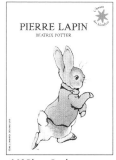

n° 25 *Pierre Lapin*
par Beatrix Potter

n° 26 *Le Petit Chaperon rouge*
par Charles Perrault
et Georg Hallensleben

n° 29 *Le Chat botté*
par Charles Perrault
et Fred Marcellino

n° 30 *Chut, chut, Charlotte!*
par Rosemary Wells